在纪念朱德同志诞辰130周年座谈会上的讲话

（2016年11月29日）

习 近 平

人 民 出 版 社

在纪念朱德同志诞辰130周年座谈会上的讲话

（2016年11月29日）

习　近　平

同志们，朋友们：

今天，我们在这里集会，纪念朱德同志诞辰130周年，缅怀他为民族独立和人民解放、国家富强和人民幸福建立的不朽功勋，追思他为党和人民事业不懈奋斗的光辉一生，学习他的崇高品德和精神风范，激励全党全军全国各族人民满怀信心把中国特色社会主义伟大事业继续推向前进。

朱德同志是伟大的马克思主义者，伟大的无产阶级革命家、政治家、军事家，中国人民解放军的主要缔造者之一，中华人民共和国的开国元勋，是党的第一代中央领导集体的重要成员。

1886年12月1日，朱德同志出生在四川省仪陇县一个贫苦佃农家庭。那时的中国，正处于半殖民地半封建社会，中国人民遭受着前所未有的苦难。朱德同志和无数仁人志士一样，苦苦思索和探求救国救民的道路。早在青年时期，他就表达了“祖国安危人有责，冲天壮志付飞鹏”的远大志向。1909年，他离开家乡远赴昆明云南陆军讲武堂求学前，又立下“志士恨无穷，孤身走西东。投笔从戎去，刷新旧国风”的誓言。他加入孙中山先生领导的同盟会，积极投身于推翻清朝封建统治的辛亥革命，参加了护国战争和护法战争，成为滇军名将。

朱德同志目睹军阀混战使国家陷入“四野萧萧风雨急，中原黯黯鬼神愁”的悲惨境地，认识到资产阶级领导的旧民主主义革命无法解决中华民族出路问题。他从俄国十月革命和中国五四运动中看到了希望的曙光，毅然拒绝高官厚禄的诱惑，先到上海、北京，后又远渡重洋，执着寻找救国救民的真理。1922年，在马克思的故乡德国，朱德同志参加中国共产党，从此走上革命道路，把自己的一切奉献给了共产主义崇高事业。

在新民主主义革命时期，朱德同志先后担任中国工农红军总司令、八路军总司令、中国人民解放军总司令，为中华民族独立和解放、为建立人民当家作主的新中国作出了杰出贡献。他参与领导八一南昌起义，打响了武装反抗国民党反动派的第一枪。他率领南昌起义军余部和湘南起义农军上井冈山，同毛泽东同志率领的湘赣边界秋收起义部队胜利会师，点燃土地革命战争的燎原之火。随后，他同毛泽东同志一道探索农村包围城市、武装夺取政权的中国革命道路。朱德同志先后同毛泽东同志、周恩来同志一起，指挥红军粉碎国民党军队对中央革命根据地的四次“围剿”，并在战略转移中领导红军进行长征。

在遵义会议上，朱德同志坚决支持毛泽东同志的正确主张，为确立毛泽东同志在红军和党中央的领导地位作出了重要贡献。他同张国焘分裂党和红军的错误行为进行了毫不妥协的斗争，团结红四方面军、红二方面军广大指战员，实现了红军三大主力会师。毛泽东同志称赞朱德同志在这场复杂的斗争中“度量大如海，意志坚如钢”。

全国抗日战争爆发后，朱德同志写下“与日寇决一死战，复我河山，保我民族，保卫国家，是我天职”的誓言，亲率八路军东渡黄河，开赴华北抗日前线。他坚决贯彻党中央战略方针，广泛发动群众，开展抗日游击战争，开辟华北抗日根据地，建立起支持长期抗战、夺取最后胜利的重要战略基地。1940年，他抵达延安，协助毛泽东同志指挥全国各根据地的抗日战争。为克服陕甘宁边区的严重经济困难，他亲自指导南泥湾的开发工作，推动大生产运动，培育和倡导“南泥湾精神”。在党的七大上，他作《论解放区战场》的军事报告，系统总结了党领导武装斗争特别是抗日战争的经验，详细阐述了人民战争的基本特点。

解放战争时期，朱德同志参与制定“向北发展，向南防御”等一系列重大战略决策，协助毛泽东同志指挥解放区军民粉碎国民党军队的全面进攻和重点进攻，取得辽沈、淮海、平津三大战役的胜利，进军全国，彻底打败国民党反动军队，迎来新民主主义革命伟大胜利。

新中国成立后，朱德同志在党、国家、军队重要岗位上积极参与社会主义革命和建设的重要决策，为我国社会主义制度建立和各项建设事业发展作出重要贡献。他参与领导了我国社会主义改造和经济建设，为党的纪律检查工作做了大量奠基性工作，在人民军队革命化、正规化建设方面提出了很多重要思想，为国家政权机构制度建设、组织建设和社会主义法制建设做了大量卓有成效的工作。

朱德同志在近70年的革命生涯中，为中国革命成功、为中国人民解放事业立下了丰功伟绩，为我国社会主义革命和建设事业建立了不朽功勋，深受全党全军全国各族人民爱戴和崇敬。毛泽东同志称赞朱德同志是“人民的光荣”，周恩来同志称赞朱德同志的革命历史“已成为二十世纪中国革命的里程碑”。这是党和人民对朱德同志的最高评价，朱德同志当之无愧！

同志们、朋友们！

在近代我国波澜壮阔的历史进程中，一代又一代共产党人团结带领全国各族人民接续奋斗，使中华民族走出了近代以来前所未有的苦难，迎来了今天实现中华民族伟大复兴的光明前景。朱德同志就是这些共产党人中的杰出代表，是我国民族英雄璀璨群星中的一颗巨星。朱德同志在毕生奋斗中表现出来的思想品德和精神风范，是党和人民的宝贵精神财富。

——我们纪念朱德同志，就是要学习他追求真理、不忘初心的坚定信念。朱德同志经历过旧民主主义革命的失败，从切身体验中认识到，旧的道路走不通了，只有马克思主义才是解决中国问题的真理。在确立马克思主义信仰、树立为共产主义事业奋斗的崇高理想后，无论面对什么样的艰难险阻和重大挫折，他始终没有动摇。越是危难关头，他越是信念坚定。南昌起义部队南下潮汕失败，朱德同志所部孤立无援，他挺身而出，稳住军心，斩钉截铁地说，黑暗是暂时的，要革命的跟我走，最后胜利一定是我们的。1975 年初，他在 89 岁高龄时亲笔写下“革命到底”的条幅。1976 年 2 月，他又写下“全党团结紧，险峰敢登攀”的诗句。在临终前不到两个月，他看到《共产党宣言》新译本后，不顾年高体弱，驱车到中央党校，看望参与翻译的同志，一起交流对这部马克思主义经典著作的学习心得。

不忘初心，方得始终。对马克思主义的信仰，对社会主义和共产主义的信念，是共产党人的政治灵魂，是共产党人经受住各种考验的精神支柱。只有理想信念坚定的人，才能始终不渝、百折不挠，不论风吹雨打，不怕千难万险，坚定不移为实现既定目标而奋斗。今天，每一个共产党员都要做共产主义远大理想和中国特色社会主义共同理想的坚定信仰者、忠实实践者，为实现“两个一百年”奋斗目标、实现中华民族伟大复兴的中国梦而英勇奋斗。

——我们纪念朱德同志，就是要学习他无限忠诚、光明磊落的坚强党性。朱德同志从一开始就注重思想建军、政治建军。他领导南昌起义余部进行“赣南三整”，在部队建立党支部，实现党对军队的全面领导。作为举世闻名的总司令，他始终坚持军队必须“无条件地在共产党领导之下”的原则。长征途中，张国焘另立“中央”，分裂党和红军，朱德同志尽管身处险境，却大义凛然，坚定地说，党是一个整体，不能分裂，红军行动应按党中央的决定执行。他还明确指出：中央只能有一个中央，那就是遵义会议确立的中央，另外成立中央是非法的，不能允许的。朱德同志事事处处以党和人民事业、党和国家大局为重，坚定维护党中央权威，提出“一切忠于共产主义事业的革命者，必须把维护党的统一和团结，作为自己最重要的一项任务”。他严守党的政治纪律和政治规矩，在重大原则问题上立场坚定、是非分明、敢于斗争。他从不居功自傲，从不计较个人得失，认为“我们共产党人胸襟要广阔，气量要宏大，要求自己比要求别人要严格一些，有功先归群众，有过勇于担当，所谓‘善则归诸人，过则归诸己’”。

党性说到底就是立场问题。党性是党员、干部立身、立业、立言、立德的基石。决定一个人如何的是品行，决定一名党员如何的是党性。党性不可能随着党龄的增加而自然增强，也不可能随着职务的升迁而自然增强，必须在严格的党内生活锻炼中不断增强。今天，全党同志一定要牢记自己的第一身份是共产党员，任何时候都同党同心同德，牢固树立和自觉强化政治意识、大局意识、核心意识、看齐意识，在思想上政治上行动上始终同党中央保持高度一致，对党忠诚、为党分忧、为党担责、为党尽责，竭尽全力完成党交给的职责和任务。

——我们纪念朱德同志，就是要学习他实事求是、求真务实的思想方法。朱德同志坚持把马克思主义基本原理同中国革命和建设具体实际结合起来，从实际出发解决问题。他和毛泽东同志共同概括的“敌进我退，敌驻我扰，敌疲我打，敌退我追”的十六字诀，就是从中国革命战争实际中概括出来的游击战术的基本原则。新中国成立后，上世纪60年代初他明确提出:“要看到世界上还没有一个国家真正建成社会主义,我们要找出一条中国自己的建设社会主义的道路。”为探索这条道路,他经常深入实际和基层调查研究。从1951年到1966年,他向党中央提交了108份反映各行各业实际情况的调研报告,其中有98份报告是他亲自主持搞的。他提出的要注意发展手工业和农业多种经营的观点,成为社会主义建设的一条重要经验。他比较早地提出国防工业要走“军民结合、平战结合”的发展道路。在上世纪60年代初国民经济调整中,他提出的停办农村公共食堂、恢复农村自由市场、调整农村人民公社管理体制等观点都带有重要指导意义。他强调党执政后纪律检查工作的基本任务是保护生产、巩固和纯洁党的组织、巩固党同群众的联系、保证党的集中统一,为党的纪律检查工作适应长期执政的要求指明了方向。朱德同志这些真知灼见都是实事求是的结晶。

实事求是是马克思主义的精髓,是我们共产党人的重要思想方法。我们过去取得的一切成就都是靠实事求是。今天,我们要把中国特色社会主义事业继续推向前进,还是要靠实事求是。全党同志一定要坚持解放思想、实事求是、与时俱进，随时准备坚持真理、修正错误。凡是有利于党和人民事业的，就坚决干、加油干、一刻不停歇地干；凡是不利于党和人民事业的，就坚决改、彻底改、一刻不耽误地改，不断开创事业发展新局面，不断开创马克思主义发展新境界。

——我们纪念朱德同志，就是要学习他心系人民、艰苦朴素的公仆情怀。朱德同志当年写诗赞扬我们党领导的解放区"只见公仆不见官"，他自己就是人民公仆的典范。全国抗日战争爆发后，他在给亲人的家书中说："我虽老已52岁，身体尚健，为国为民族求生存，决心抛弃一切，一心杀敌。""那些望升官发财之人决不宜来我处，如欲爱国牺牲一切能吃劳苦之人无妨多来。"远在四川老家的母亲80多岁，生活非常困苦，他不得不向自己的老同学写信求援，他在信中说："我数十年无一钱，即将来亦如是。我以好友关系，向你募两百元中币。"战功赫赫的八路军总司令清贫如此、清廉如此，让人肃然起敬！新中国成立后，朱德同志把人民安危冷暖放在心中，生活上克勤克俭、清正廉洁，保持朴素本色。他强调："我们一切力量都出于群众身上，一切办法也都由群众创造出来。”

人民立场是党的根本政治立场，全心全意为人民服务是党的根本宗旨，党同人民风雨同舟、生死与共是党战胜一切困难和风险的根本保证，同人民打成一片是我们永远保持艰苦朴素作风的重要保证。“天视自我民视，天听自我民听。”今天，全党同志无论职位高低，都要把人民拥护不拥护、赞成不赞成、高兴不高兴、答应不答应作为衡量一切工作得失的根本标准。我们的工作和决策必须识民情、接地气，以人民利益为重、以人民期盼为念，真诚倾听群众呼声，真实反映群众愿望，真情关心群众疾苦。要坚持工作重心下移，深入实际、深入基层、深入群众，做到知民情、解民忧、纾民怨、暖民心，多干让人民满意的好事实事，充分调动人民群众积极性、主动性、创造性，使我们党始终拥有不竭的力量源泉。

——我们纪念朱德同志，就是要学习他一生学习、一生向前的奋斗精神。朱德同志经历了旧民主主义革命、新民主主义革命、社会主义革命和社会主义建设几个历史时期，始终站在时代前列。他经常用“革命到老，学习到老，改造到老”鞭策自己，用中国的一句古话“活到老，学到老，还有三分学不了”

勉励周围的同志。他强调“不学习就会落后，就不能跟社会一道前进”。延安时期，为了鼓励干部学习，党中央曾规定以马克思的生日5月5日为“干部学习节”，他被评为第一届学习节的“模范学生”。上世纪60年代中期，朱德同志已经80岁高龄，还坚持研读党中央规定学习的32本马列著作。他既重视书本知识的学习，更重视在实践中向群众学习。他说，“马列主义最重要的一条精髓就是联系群众，向群众学习”，“学习马列主义，第一便要求能正确地认识客观现实、认识世界”，“第二个要求，便是理论与实践的一致，把理论运用在实践中来改造实际，从改造实际中更加丰富了发展了理论的内容”。

我们党历来重视领导干部的学习，我讲过中国要永远做一个学习大国。当今时代，知识更新不断加快，各种新知识、新情况、新事物层出不穷。世界在前进，社会在进步，生活在变化，我们必须跟上历史步伐。在当前瞬息万变的形势下，不前进就是后退，不超前就会落后。今天，全党要正确认识和妥善处理我国发展起来后不断出现的新情况新问题，不断增强我们自己的本领，既把学到的知识运用于实践，又在实践中增长解决问题的新本领。首先要认真学习马克思主义，这是我们做好一切工作的看家本领。要通过学习掌握马克思主义立场、观点、方法，提高战略思维能力、综合决策能力、驾驭全局能力，做到知行合一，增强工作的科学性、预见性、主动性，避免陷入少知而迷、不知而盲、无知而乱的困境。全党同志特别是各级领导干部都要有加强学习的紧迫感，要结合自己的工作，学习党的路线方针政策和国家法律法规，学习经济、政治、历史、文化、社会、科技、军事、外交等各方面的知识。我们依靠学习走到今天，也必然要依靠学习走向未来。

同志们、朋友们！

朱德同志离开我们整整 40 年了。实现中华民族伟大复兴，是朱德同志等老一辈革命家和千千万万革命先辈毕生奋斗追求的目标。全党全军全国各族人民要更加紧密地团结在党中央周围，同心同德，锐意进取，顽强奋斗，继续把革命前辈开创的伟大事业推向前进，为创造更加灿烂辉煌的明天而努力奋斗！

图书在版编目(CIP)数据

在纪念朱德同志诞辰130周年座谈会上的讲话/习近平 著. —北京:
人民出版社,2016.12
ISBN 978-7-01-017077-0

Ⅰ.①在… Ⅱ.①习… Ⅲ.①习近平-讲话 ②朱德(1886—1976)-生平事迹 Ⅳ.①D2-0 ②K827=7

中国版本图书馆CIP数据核字(2016)第293017号

(RMC-ZJDXI-045-20161129)

在纪念朱德同志诞辰130周年座谈会上的讲话

ZAI JINIAN ZHUDE TONGZHI DANCHEN 130 ZHOUNIAN
ZUOTANHUI SHANG DE JIANGHUA

(2016年11月29日)

习 近 平

人民出版社 出版发行
(100706 北京市东城区隆福寺街99号)

北京新华印刷有限公司印刷 新华书店经销

2016年12月第1版 2016年12月北京第1次印刷
开本:880毫米×1230毫米 1/32 印张:0.5
字数:7千字

ISBN 978-7-01-017077-0 定价:2.00元

邮购地址 100706 北京市东城区隆福寺街99号
人民东方图书销售中心 电话 (010)65250042 65289539